Ma
nuit
d'enfer

Catalogage avant publication de Bibliothèque et Archives nationales du Québec et Bibliothèque et Archives Canada

Mercier, Johanne

   Ma nuit d'enfer

   (Le Trio rigolo ; 10)
   Pour les jeunes de 10 ans et plus.

   ISBN 978-2-89591-048-0

   I. Cantin, Reynald. II. Vachon, Hélène, 1947- . III. Rousseau, May, 1957- . IV. Titre. V. Collection : Mercier, Johanne. Trio rigolo ; 10.

PS8576.E687M223 2007   jC843'.54   C2007-942000-1
PS9576.E687M223 2007

© 2008 Les éditions FouLire inc.
4339, rue des Bécassines
Québec (Québec) G1G 1V5
CANADA
Téléphone : (418) 628-4029
Sans frais depuis l'Amérique du Nord : 1 877 628-4029
Télécopie : (418) 628-4801
info@foulire.com

Les éditions FouLire remercient la Société de développement des entreprises culturelles du Québec (SODEC) pour son aide à l'édition et à la promotion.

Gouvernement du Québec – Programme de crédit d'impôt pour l'édition de livres – gestion SODEC.

Les éditions FouLire remercient également le Conseil des Arts du Canada de l'aide accordée à leur programme de publication.

100%

Imprimé avec de l'encre végétale sur du papier Rolland Enviro 100, contenant 100% de fibres recyclées postconsommation, certifié Éco-Logo, procédé sans chlore et fabriqué à partir d'énergie biogaz.

IMPRIMÉ AU CANADA/PRINTED IN CANADA

Ma nuit d'enfer

AUTEURS ET PERSONNAGES:

JOHANNE MERCIER • *Laurence*
REYNALD CANTIN • *Yo*
HÉLÈNE VACHON • *Daphné*

ILLUSTRATRICE:

MAY ROUSSEAU

Le Trio rigolo

LAURENCE

« C'est l'avantage de faire souvent des gaffes : on développe une impressionnante habileté à les réparer avec le temps. Ça s'appelle l'expérience. »

Rien n'est jamais simple dans ma vie. Il m'arrive de penser qu'une méchante fée s'est penchée au-dessus de mon berceau quand j'étais bébé et qu'elle m'a donné le don de toujours tout compliquer. Cette nuit, par exemple, je n'arrive pas à dormir. J'angoisse. Je panique. J'ai chaud. J'ai mal au cœur. Pourquoi? Parce que je suis piégée, finie, foutue depuis 14 h, cet après-midi. Depuis que Samuel Morissette s'est approché de moi, qu'il m'a regardée avec ses grands yeux de crapaud globuleux et qu'il m'a annoncé, comme si c'était la nouvelle du siècle:

– J'ai deux billets pour le concert de Crash and Burn.

Je n'ai rien dit. Aucune réaction. Il a quand même continué:

– Est-ce que ça te tente, Laurence?

– De...?

– De venir voir Crash and Burn avec moi demain soir.

Évidemment, j'aurais très bien pu lui répondre un truc simple, direct et surtout qui ne laisse aucune espèce d'ombre de lueur d'espoir, du genre: «Non!» Ou mieux encore: «J'aime pas tellement Crash and Burn, Sam.» Ou ce qui aurait été vraiment parfait: «Je déteste la musique *heavy metal*!»

J'aurais pu me laisser du temps de réflexion, lui répondre «Peut-être», «Je sais pas» ou «On verra»... Mais, comme je ne fais jamais dans la simplicité, j'ai répondu :

– Combien coûte le billet ?

Pourquoi j'ai demandé combien coûtait le billet pour Crash and Burn ? Mystère ! Pourquoi j'ai fait semblant d'être intéressée ? Je m'en fous, de Crash and Burn, moi. Je ne les connais même pas. Pire : j'aimerais mieux laver la cage des lions avec une brosse à dents plutôt que de me retrouver avec Samuel Morissette à un concert de rock demain soir.

Heureusement, il me restait un moyen de me rattraper. Une sortie de secours. Un espoir auquel je pouvais m'accrocher. Quand Samuel me dirait le montant du billet, je n'aurais qu'à lui avouer que c'est beaucoup trop cher pour moi et que c'est tout de même gentil de me l'avoir offert. Je le remercierais et on n'en reparlerait plus.

Le problème, c'est qu'il m'a répondu :

– C'est gratuit, Laurence !

– Gratuit ? Gratuit dans quel sens ?

– J'ai gagné les billets à la radio. Fallait que je chante le solo de Tommy Sweet dans *Future is now*. Trop facile.

– Chanceux…

– Les billets valent 125 $ chacun.

– Incroyable !

– Crash and Burn *live* !

– Le rêve…

– Tournée mondiale. *Full métal*. Complètement débile. Je te donne le deuxième billet.

– Tu me le donnes ?

– Je vais te chercher à 7 h ou 7 h 30 ?

– Le plus tard possible, Sam.

Mais non. Ce n'est pas ce que j'ai répondu. En fait, je n'ai pas eu le temps de dire quoi que ce soit. La cloche a sonné, Sam est rentré dans sa classe… et le concert est demain !

Voilà.

Il est minuit dix, je suis dans mon lit et on est déjà demain. Je n'arrive pas à fermer l'œil. Impossible. Je dois trouver une solution. Je ne veux absolument pas assister au concert de Crash and Burn, moi. Mais que faire ? Ma mère dit souvent que la nuit porte conseil, mais la nuit porte conseil quand on dort ou quand on veille ? Les dictons ne sont jamais clairs. Je ne peux quand même pas réveiller ma mère pour lui demander plus de précisions. D'un autre côté, si la nuit porte conseil quand on dort et que je reste éveillée, je vais passer à côté… QUELQU'UN POURRAIT ME DIRE À QUELLE HEURE LA NUIT PORTE CONSEIL EXACTEMENT ?

1 h du matin.

Je ne dors pas. Rien à faire. J'ai tout essayé. Lait chaud. Lecture. Moutons. Gâteau au chocolat. CD de cithare. Rien ne fonctionne. Je n'arrête pas de penser. Et plus la nuit avance, plus je panique. JE NE VEUX PAS aller voir Crash and Burn, mais je ne sais pas comment l'annoncer à Samuel.

1 h 20.

J'ai beau essayer de me détendre, de penser à autre chose, d'imaginer la plage, le soleil, les vagues… rien n'y fait. Samuel et ses billets réapparaissent.

Comment je fais pour me retrouver toujours dans de pareilles situations?

1 h 45.

J'ai une idée! Je vais écrire un courriel à Samuel Morissette. Je vais lui avouer tout simplement que je n'ai pas envie de l'accompagner au spectacle. Les solutions les plus simples sont souvent les meilleures, après tout. Demain matin, Sam le lira et il aura toute la journée pour trouver quelqu'un d'autre pour l'accompagner. Je suis certaine que Gamache adore Crash and Burn... Oui! C'est ce que je vais faire, et tout de suite! Ooooh! Je me sens déjà mieux. J'aurais dû penser au courriel avant. Je n'aurai pas à l'affronter demain. C'est tellement moins gênant, un courriel. C'est rapide et efficace. Et on n'a pas besoin d'ajouter des tonnes d'explications. Un simple clic et les problèmes sont derrière nous.

Je suis certaine qu'ensuite je vais bien dormir.

Allons-y!

Salut Sam,

Pour Crash and Burn, je ne pourrai pas y aller, finalement. Donne ton billet à Gamache.

Merci quand même.

Bye!

Laurence

Et voilà. Tout est beau. C'est l'avantage de faire souvent des gaffes: on développe une impressionnante habileté à les réparer avec le temps. Ça s'appelle l'expérience. Je me sens tellement bien. Tellement soulagée.

Je relis. Oui, génial. C'est direct. Pas de mots inutiles. Peut-être un peu trop direct? Je ne veux quand même pas blesser Samuel. Il avait l'air si content de m'offrir un billet... Hum... Je vais ajouter une raison, tiens ! Ce sera plus gentil. Une bonne raison. De toute manière, Samuel va me la demander aussitôt qu'il me croisera demain matin, alors aussi bien la donner tout de suite.

J'efface tout et je recommence.

Salut Sam,

Devine quoi ? Pour Crash and Burn, je ne pourrai pas y aller, finalement. J'avais complètement oublié que, demain soir, ma grand-mère m'a demandé de faire le ménage de son...

Non, pas ça.

Sam,

Je m'excuse, mais ma grand-mère veut que je l'accompagne au bingo...

17

Vraiment pas.

Sam,

C'est encore la faute de ma grand-mère!!!

Non. Pas question de mêler ma grand-mère à cette histoire. Je recommence mon message. J'y suis presque. Dans quelques minutes, ce drame sera derrière moi. Et je jure que la prochaine fois, quand je n'aurai pas envie d'aller quelque part, je vais refuser, tout simplement. J'ai eu ma leçon...

Sam,

Je suis malade. Je ne sais pas encore ce que j'ai.

Quarante de fièvre à peine et ma mère refuse que j'assiste au concert de Crash and Burn. Toujours aussi mère poule, celle-là.

18

Désolée. On se reprendra?

Laurence

Non. Franchement! Sam peut très bien me croiser dans le corridor de l'école demain et voir que je ne suis pas malade du tout.

AAAAAAAAAAAAAAAAAAH!

C'est ridicule! Je n'y arriverai jamais. Il faut pourtant que j'invente une bonne excuse. Il est 2 h du matin, maintenant. Demain, je vais être crevée, morte, tout ça à cause de Crash and Burn. Finissons-en une fois pour toutes!

Cher Sam,

Je suis vraiment désolée, mais je ne peux absolument pas aller voir Crash and Burn avec toi. Un imprévu. J'en ai pleuré toute la nuit. Je sais ce que tu penses... La vie est cruelle, Sam. Et tu as raison. C'est trop injuste. Pourquoi mon imprévu tombe exactement le même soir que le show de Crash and Burn? C'est le destin, probablement. Et contre le destin, on ne peut rien. Alors inutile de me téléphoner. Inutile de m'écrire. Inutile de m'en reparler. Fais comme si cette invitation n'avait jamais eu lieu. Je ferai comme si je n'avais jamais eu de peine.

Sincèrement,

Laurence

C'est pas mal, ça. Je pense que c'est le petit mot idéal. Grâce à ce courriel, Sam ne pourra pas m'en vouloir. Merveilleux! Je vais quand même attendre et l'envoyer demain matin, au cas.

De retour dans mon lit, je me sens légère comme une plume. Les draps sont toujours plus confortables quand on n'a plus de problèmes. Cette fois, je sais que je vais bien dormir…

Bonne nuit, tout le monde !

2h30.

Je ne dors pas.

2h47.

Je ne dors pas.

3h12.

Je n'en peux plus ! C'est mon fameux courriel qui m'empêche de dormir. Je ne suis plus certaine que ce soit une bonne idée. Les pires scénarios se bousculent dans ma tête. Je m'imagine demain matin…

J'arrive à l'école. Le silence s'installe aussitôt que j'entre dans la cour de récré. On chuchote dans mon dos. On murmure. Quand j'approche, les gens s'éloignent. La rumeur court déjà. Samuel Morissette a tout raconté. Il a même le fameux courriel que je lui ai écrit dans les mains. Il s'empresse de le faire lire aux quelques rares personnes qui ne connaissaient pas encore l'histoire. Je demande des explications à mon amie Geneviève.

– On dirait que tout le monde m'en veut, ce matin, Ge. Qu'est-ce qui se passe?

Elle ne me répond pas. J'insiste. Elle hausse les épaules et s'en va. Je cours derrière. Elle se retourne vers moi. Ses yeux lancent des flammes.

– Je suis tellement déçue, Laurence. Toi! Toi, ma meilleure amie depuis la maternelle! Comment as-tu pu faire une chose pareille à Samuel?

– J'ai simplement changé d'idée, Geneviève!

22

– Sam est complètement démoli.

– Pas pour une stupide histoire de billets de spectacle?

– Je ne pense pas qu'il va s'en remettre, Laurence. Il est en état de choc.

– T'exagères pas un peu, Geneviève? Il peut donner le billet à Gamache.

– Le pauvre Samuel n'a même plus envie d'aller voir Crash and Burn. Tu imagines dans quel état il se trouve? Il rencontre la psychologue de l'école cet après-midi.

– À cause de moi?

– Il a le cœur en miettes. Il parle d'abandonner ses études et de partir.

– Qu'est-ce que tu veux dire? Partir où?

– Ailleurs. N'importe où. Il dit: «Pourvu que ce soit loin d'*elle*.»

– «Elle», c'est moi? Samuel Morissette est amoureux de moi ou quoi?

– Laurence, réveille! Penses-tu vraiment qu'un gars peut donner un billet de spectacle de 125 $ à une fille sans être follement amoureux d'elle?

– Mais je suis pas amoureuse de lui, moi!

– Voilà. T'aurais dû lui dire «non» tout de suite, Laurence! On ne donne pas d'espoir aux gens pour le leur enlever quelques heures plus tard. Surtout pas dans un courriel. C'est trop cruel. T'aurais pu au moins avoir le courage de tout lui dire en personne.

Non, je ne peux pas envoyer mon dernier courriel à Samuel. Il ne faut surtout pas de malentendus entre lui et moi. Oh là là! J'ai frôlé la catastrophe. Je vais tout recommencer. Cette fois, je dois choisir les bons mots.

Sam,

Fais-moi plaisir : ne m'offre plus jamais de billet de spectacle, OK? Plus jamais. Pardonne-moi.

Laurence

C'est parfait.

3 h 33.

Et si cette histoire me poursuivait toute ma vie? J'imagine très bien le jour où je passerai une première entrevue pour un emploi. Le patron m'annoncera sans sourire :

– Nous sommes vraiment désolés, mademoiselle Vaillancourt, mais vous n'avez aucune chance d'avoir l'emploi que vous convoitez.

– Hein? Mais pourquoi? Mon CV est parfait. Je suis la fille qu'il vous faut!

– La tache dans votre dossier nous oblige à refuser votre candidature.

– La tache ? Quelle tache ? Je ne vois pas de tache !

– Par le passé, vous avez été une personne déloyale, mademoiselle Vaillancourt. Vous avez manqué à votre parole.

– Déloyale ? Moi ? Jamais !

– Le jeune Morissette a témoigné. Vous êtes une espèce de girouette qui dit oui un jour et non le lendemain.

– J'ai changé, je vous le jure. J'étais jeune. À l'époque, j'avais le don de tout compliquer.

– Rien ne nous assure que vous ne nous enverrez pas un courriel pour nous laisser tomber à la dernière minute, et ce, sans raison valable.

– Vous voulez dire que mon histoire avec Samuel Morissette va me suivre toute ma vie?

– Personne ne vous fera plus jamais confiance.

– NOOOOON!

Et le jour de mon mariage... J'imagine le stress que je vivrai quand le prêtre demandera s'il y a des gens qui s'opposent à cette union. Quelqu'un se lèvera sûrement et criera très fort:

– MOI, JE M'OPPOSE!

On poussera des «Oh!» et des «Ah!» dans l'église.

Puis, la personne continuera...

– Cette fille dit oui aujourd'hui, mais prenez garde! Demain, elle peut aussi bien avoir changé d'idée. C'est ce qu'elle a toujours fait.

– Je suis d'accord! hurlera Samuel Morissette.

Je l'entendrai rire. Un grand rire démoniaque. Un rire dévastateur. Je quitterai l'église en larmes pour errer seule. Sans but, sans emploi, sans amour, ni maison, ni chien, ni chat, ni rien.

Cher Sam,

Je t'aime beaucoup, mais juste en ami. Pas plus, tu comprends? Oublie-moi et, pour le show de Crash and Burn, c'est non!

Laurence

Excellent. Cette fois, je ne laisse place à aucun espoir. Je devrais peut-être m'excuser aussi? Enfin, je relirai tout ça demain.

Bonne nuit.

3 h 39.

Oui, bon. Je ne dors pas. Et plus la nuit avance, plus les scénarios d'horreur grossissent. Samuel Morissette est là, apparaissant toujours en amoureux ardent. Je l'entends me dire:

– Fuyons, Laurence! Je sais que tu luttes contre cet amour qui te dévore le cœur.

– Pas du tout.

– Pourquoi faut-il que l'amour soit si cruel?

– Tu délires ou quoi?

– Hélas! Mon trouble est à son comble.

. – Es-tu certain d'avoir bien lu mon courriel, toi?

– Ô Laurence! Laurence! Pourquoi es-tu Laurence?

– NOOOOOOOON!

Je suis beaucoup trop fatiguée. Il faut que je dorme. Que j'arrête d'imaginer le pire. Mais comment faire pour arrêter de penser?

4 h 07.

Je viens de prendre une grande décision. Une décision qui me libère d'un poids énorme. Je n'enverrai jamais de courriel à Samuel. J'irai voir Crash and Burn même si je n'en ai absolument pas envie. Tant pis pour moi. Ce sera beaucoup plus simple. Après tout, peut-être que c'est excellent, Crash and Burn. Pas si *heavy* et pas trop *métal*.

Je vais aller demander à mon frère Jules ce qu'il en pense. Il les connaît sûrement. Je sais qu'il est 4 h du matin, mais je n'ai pas le choix.

– Jules ?

– ...

– Jules ?

– Mmmm...

Toujours pareil avec mon frère !

– Jules, réveille-toi ! C'est super important. Faut absolument que je te parle.

– Grmgrblmm...

– Connais-tu Crash and Burn ?

– ...

– Question de vie ou de mort, Jules. Ouvre tes yeux.

– Klmjskjnf msklfho dnvjsdkjhg !

– Quoi ?

– DEMAIN !

Qui a eu l'idée d'inventer les grands frères ? Jamais là quand on a besoin d'eux. Tant pis. Je retourne me coucher.

Ah non ! Ma mère, maintenant ! Je vais devoir tout lui dire encore.

– Qu'est-ce que tu fais debout, Laurence ?

– C'est l'enfer, maman !

– Qu'est-ce qui se passe ?

– On dirait que je me retrouve toujours dans des endroits où j'ai pas vraiment choisi d'aller. Comme si c'était pas moi qui décidais.

– Oh ! mon Dieu ! Exactement comme ta tante Doris ! Elle est souvent somnambule.

– Le problème, c'est que ça m'arrive le jour, moi, maman.

La nuit fabrique des drames. Quand le soleil se lève, tout est plus clair. Nos idées aussi. Je pense à la nuit d'enfer que je viens de passer et j'aurais dû faire confiance au matin. Je dirai à Samuel que je n'y vais pas, et puis c'est tout. Il n'y avait pas de quoi paniquer.

En fin d'avant-midi, je fonce vers Samuel. Il a l'air plutôt triste. Comme s'il avait reçu mon courriel...

Je suis tellement contente de ne pas l'avoir envoyé ! Pour une fois, je suis certaine d'avoir fait le bon choix. De faire face à mes responsabilités. Sans fuir ni rien inventer.

– Laurence, faut absolument que je te parle ! me dit Samuel aussitôt qu'il me voit.

– Moi aussi, Sam ! Je te cherchais partout. J'ai quelque chose d'important à te…

– Commence !

– Non. Vas-y, toi !

– J'ai une mauvaise nouvelle, Laurence. Finalement, j'ai pas les billets pour Crash and Burn.

– Ah non ?

– C'est le DVD du *making of* de la tournée de Crash and Burn que la radio m'a envoyé. C'est tout ce que j'ai gagné.

– Oh…

– J'avais mal compris. L'animatrice parlait en anglais. Moi, l'anglais…

– Bon.

– Je suis aussi déçu que toi, Laurence.

Je n'ai jamais été si soulagée de toute ma vie. Dire que j'ai passé la nuit à…

– Toi ? Qu'est-ce que tu voulais me dire ?

– Rien. C'est beau, Sam. Finalement, tout est beau.

– Es-tu fâchée ?

– Non, non.

– Est-ce que ça te tente de venir au moins regarder le DVD chez nous ? C'est mieux que rien.

– Non, Sam.

– Pourquoi ?

– Merci, mais c'est non.

– Es-tu certaine ?

– Je changerai pas d'idée. J'ai pas envie d'y aller. Bye, Sam!

Ah! c'est trop merveilleux! Je suis une nouvelle Laurence. Plutôt que de répondre «Oui», ou «Je ne sais pas», ou «Peut-être», ou «On verra...», j'ai dit: «NON!» J'ai refusé net. Je me sens tellement bien. C'est toujours un beau moment quand on réalise qu'on s'améliore dans la vie.

Mon vendredi soir est libre, maintenant. Je n'ai plus de problèmes. Je cours chez mon amie Geneviève. Je me demande ce qu'elle fait. Moi, j'ai tout plein d'idées...

– Laurence, s'cuse-moi, mais j'ai pas vraiment le temps de te parler. Je m'en vais dans dix minutes.

36

– Où ?

– Chez Samuel Morissette.

– Qu'est-ce que tu vas faire chez Samuel Morissette ?

– Il nous a invités à visionner le DVD de Crash and Burn en tournée. C'est trop génial ! Samuel Morissette est probablement le seul en Amérique à avoir le DVD de la tournée. Il l'a gagné dans un concours à la radio. Imagine...

– C'est bon, Crash and Burn ?

– Voyons, Laurence ! C'est LE MEILLEUR groupe rock.

– Ah.

– T'as jamais entendu parler de Crash and Burn ?

– Un petit peu.

– Crash and Burn sur un écran géant plasma avec son THX dans le plafond ! Ça risque d'être complètement fou dans la salle de cinéma maison des Morissette. Samuel m'avait dit qu'il t'inviterait aussi. C'est bizarre. Remarque, tu peux venir...

– Bof.

– Bof?! Bof à Crash and Burn *live* sur écran plasma avec son THX, Laurence? Tout le monde va être là.

– Qui?

– Max Beaulieu, Gamache, Mathieu Vézina... tout le monde!

– Je suis trop crevée, Ge.

– Moi, je me sauve. Je voudrais pas manquer la pizza.

Le soleil se couche et je vais faire comme lui. Mes amis sont tous chez Samuel Morissette. Tout le monde, sauf moi. Quelqu'un peut me dire pourquoi j'ai dit «NON» à Sam? J'aurais très bien pu répondre «Je sais pas», «Peut-être» ou même «Je vais y penser»!

Quand je vous dis que rien n'est jamais simple dans ma vie...

YO

«– (…) On va inventer
une histoire de peur
et toi, tu vas jouer dedans. Ça va
être super et…

– Ça marchera pas, m'interrompt
Ré. Dans un film d'horreur, il faut
toujours une fille.

– Pourquoi?

– Ben voyons! Pour avoir peur!»

Déjà la mi-décembre et pas un brin de neige. Il fait gris partout, surtout en dessous de ma casquette.

Sombres et silencieux, Ré et moi, on sort de l'école et on n'est même pas contents. Il fait presque nuit et il faut *marcher* jusque chez nous. Vous avez bien lu : MARCHER ! Parce que nos planches à roulettes sont remisées pour l'hiver et nos planches à neige attendent... la neige. L'enfer, quoi !

Pourtant, c'est vendredi. Soudain, je lance :

43

– Les filles sont folles !

Surpris, Ré et moi, on s'arrête.

Je vous explique. Ré, c'est mon ami Rémi. Moi, c'est Yo, pour Yohann. On parle peu, mais on se dit tout. Parfois, il nous arrive de dire n'importe quoi, comme ça, sans raison. En général, on évite de parler des filles. Trop compliquées, les filles. Mais aujourd'hui, c'est le seul sujet qui m'est venu pour oublier cette sale journée.

– Allons, Yo ! Les filles sont pas folles… euh… enfin… pas toutes.

– Elles s'énervent tout l'temps pour rien.

– C'est vrai, approuve Ré. Mais nous aussi, des fois, on s'énerve.

– Nous, on est des gars. C'est pas pareil.

Comme je vous disais : tout et n'importe quoi... mais seulement entre nous, c'est plus prudent. Alors, je continue :

– En tout cas, moi, quand je m'énerve, c'est pas pour des niaiseries de filles.

– Des niaiseries de filles ? s'étonne Ré.

– Fais pas semblant de pas comprendre !

– Calme-toi, Yo. Si tu continues, tu vas t'énerver pour des niaiseries de filles, là.

Du coup, je me tais et tout redevient gris entre mes deux oreilles. Et sous mes yeux, le trottoir gris se remet à défiler désespérément.

Nous longeons maintenant le cimetière. Joyeuse distraction ! Soudain, Ré
me lance :

– T'as raison, Yo. Les filles sont folles.
Elles s'énervent tout l'temps pour rien.

À ces mots, nos baskets et nos
casquettes s'immobilisent devant
l'entrée du cimetière.

– Je trouve ça drôle quand elles
s'énervent, continue-t-il. Pas toi ?

– Euh… oui.

– Des fois, poursuit-il avec entrain, je
fais exprès pour les énerver.

L'idée commence à me réjouir aussi.

– La première fois que j'ai vu une fille
s'énerver, me raconte Ré, c'est quand
Nancy est venue me garder.

– Ta grande niaiseuse de cousine ?

– Elle, c'était facile de la faire grimper dans les rideaux.

– Qu'est-ce qui est arrivé? je demande, vraiment intéressé.

– J'avais sept ans. Pour regarder la télé tranquille, Nancy m'avait installé dans la cuisine avec des blocs Lego. J'ai fouillé dans sa sacoche et j'ai trouvé une revue de filles, pis du maquillage. Au milieu de la revue, y avait une grande affiche qu'on déplie. Avec son maquillage, j'ai colorié les Bad Block Boys dans sa revue. Je leur ai fait des lunettes noires, pis des moustaches violettes.

– Pis, pis? je demande, impatient.

– Quand Nancy est revenue dans la cuisine, t'aurais dû lui voir la face.

– Une vraie folle!

– Exactement! Mais ce soir-là, j'ai pas ri. J'étais trop p'tit. J'ai eu peur.

47

Heureusement, Nancy est revenue me garder souvent et je me suis habitué à ses crises de fille. À la fin, je faisais exprès pour l'énerver.

– Elle s'en est aperçu ?

– Ça a pris plusieurs mois. Le plus dur, c'était de faire comme si je faisais pas exprès. Grâce à elle, je suis devenu un acteur super...

Puis il ajoute :

– J'aimerais ça, jouer dans un film.

À cette idée, son visage reprend la couleur du mois. Gris. Comme moi, il s'aperçoit que ce n'est qu'une conversation, tout ça. Rien que des mots. Pas d'action. Il ne nous reste plus qu'à recommencer à marcher le long du cimetière.

Soudain, n'en pouvant plus, je m'écrie :

48

– Ré! On va tourner un film! Oui! Un film d'horreur! Mes parents ont une caméra numérique. On va inventer une histoire de peur et toi, tu vas jouer dedans. Ça va être super et...

– Ça marchera pas, m'interrompt Ré. Dans un film d'horreur, il faut toujours une fille.

– Pourquoi?

– Ben voyons! Pour avoir peur!

Le cimetière est déjà loin derrière. On approche de ma maison. Ré et moi, on va se séparer et s'ennuyer pendant deux jours, chacun de son côté. On n'a même pas un devoir à faire. L'enfer, je vous dis!

Soudain, je frissonne. Il pleuvasse depuis tantôt. À peine perceptible, une bruine s'est insinuée dans nos vêtements. Par réflexe, nous détalons sur ma galerie, puis nous nous retournons.

Tout s'est assombri. La rue est sinistre. Le décor, lugubre. De la chaussée, une vapeur s'élève et forme un brouillard qui s'épaissit. Comme hypnotisé, j'observe cette ambiance étrange. Je ne reconnais plus mon quartier. J'ai l'impression d'avoir changé d'univers et de me retrouver dans un f…

— Ré, j'ai plein d'idées tout d'un coup. On va le tourner, notre film d'horreur! Et pas besoin de fille.

Déjà, nous sommes à l'intérieur. La lumière du téléphone clignote. Il y a un message dans la boîte vocale. J'écoute. Mes parents vont rentrer très tard cette nuit. Ils ont laissé ce qu'il faut pour souper dans le frigo.

— *Yessss* !

– Qu'est-ce qui se passe? demande Ré.

– Suis-moi, je vais te montrer la caméra.

Je file dans la chambre de mes parents. Au fond de la penderie, je trouve la petite valise que j'ouvre avec précaution sur le lit. Ré regarde par-dessus mon épaule. La caméra est là, rutilante comme un bijou dans son écrin.

– Wow! s'exclame Ré. Tes parents sont d'accord?

– C'est moi qui leur ai montré comment elle fonctionne. Ils lisaient les instructions depuis des heures. Moi, j'ai pris la caméra, j'ai regardé les pitons et je leur ai tout expliqué. On peut faire des effets spéciaux et du montage. On peut même tourner un film au complet!

– Mais on n'a pas de scénario.

– T'inquiète pas. Appelle tes parents et dis-leur que tu couches ici cette nuit.

– On a plein de devoirs à faire?

– Très bon scénario!

Une fois les parents de Ré rassurés, on dévore ce que les miens ont laissé dans le frigo, puis on passe la soirée à discuter de notre film en mangeant du *pop-corn* au beurre avec du Pepsi. On change d'idée vingt fois. Finalement, on descend au sous-sol pour trouver un parapluie afin de protéger la caméra… et un costume pour Ré.

Au moins, sur un point, on s'est mis d'accord. C'est Ré qui va faire le monstre.

Nous revoilà devant la porte du cimetière. Il fait noir comme chez le loup. Heureusement, les lampadaires de la ville sont nombreux par ici. Pour protéger les tombes, probablement.

L'air est tiède. Pas un brin de vent. Il bruine toujours. On dirait que le temps s'est arrêté et que tout s'est immobilisé pour le tournage de notre film.

J'ai mis mon imperméable. Au sous-sol, le seul parapluie qu'on a trouvé, c'est un parasol à fleurs. Ça *fesse*, toutes ces couleurs, mais c'est parfait pour protéger la caméra.

J'ai aussi trouvé un drôle de petit bidule. Une lampe à piles, en forme de demi-sphère. Colorée et pivotante, elle devait servir à produire des effets tournoyants de discothèque dans le temps de mes parents. Ça m'a donné une idée pour notre scénario.

Quant à Ré, il a revêtu l'ancien équipement de pompier de mon grand-père qui traînait là depuis des années. Perdu dans le long imperméable, il a la tête enfoncée sous un gros casque à lampe. On ne voit pas son visage. Il ressemble à Darth Vader en miniature. Le costume le couvre jusqu'aux pieds. On ne voit pas ses jambes. Quand il marche, on dirait qu'il plane à la manière d'un fantôme. Mouillé comme il l'est maintenant sous les lampadaires, il reluit comme un spectre. Super !

– Écoute-moi bien, Ré. On va commencer un peu plus loin, sur le trottoir. Tu vas tenir le parasol au-dessus de moi pendant que je fais un long travelling jusqu'ici, entre deux barreaux de la porte... comme si on entrait dans le cimetière.

Ré n'a pas l'air de saisir. Alors, j'ajoute :

54

– Ça va être toi, la lumière. Ton casque va  nous servir d'éclairage, tu comprends ? On va faire comme si le monstre approchait du cimetière avec une lampe de poche. On appelle ça la caméra subjective.

Décidément, le casque de Ré est allumé, mais pas lui. Il va falloir que je lui mette les points sur les i.

– Rémi, rappelle-toi le film d'horreur qu'on a vu en anglais. La caméra filmait seulement ce que le monstre voyait. Nous, on voyait jamais le monstre. C'est super épeurant, la caméra subjective.

Rien à faire. Ré ne s'allume pas.

– Suis-moi !

Armés de la précieuse caméra, nous longeons le cimetière sous le parasol à fleurs. Puis nous pivotons.

– On va marcher en filmant jusqu'à la porte du cimetière. Toi, tu vas toujours diriger ta lampe dans la même direction que ma caméra.

– Un monstre avec une lampe de poche, ça s'peut pas.

– En fait, t'es un zombi avec une lumière dans l'front.

– Ah bon.

– Et tu veux rentrer dans le cimetière.

– Pour quoi faire ?

– Ben… euh… pour déterrer un mort.

– Ah bon… On sera pas toujours en caméra subjective, hein ?

– Non, non. Plus tard, on va te voir en zombi. Pour que ce soit plus effrayant, tu vas respirer fort.

– Comme Darth Vader dans *Star Wars* ?

– En plein ça ! T'es prêt ?

– Prêt !

Je regarde le petit écran de la caméra. La lampe de Ré produit un halo mystérieux au milieu de l'image. Parfait. J'appuie sur le déclencheur et notre cortège s'ébranle et progresse sur le trottoir, le long du cimetière, tel un cyclope sous une grande calotte fleurie.

Nous approchons de la porte grilla-gée. Avec précaution, j'avance l'objectif entre deux barreaux. Je filme toujours. La lampe de Ré suit bien. Elle illumine les pierres tombales les plus proches. Enfin, je coupe.

– Maintenant, on va tourner la scène avec la police.

– La police?

Je sors le bidule de discothèque.

– Ça, c'est le gyrophare.

Je lui explique la scène. Ré comprend vite, maintenant. Surtout, il est content parce que la caméra subjective, c'est terminé.

– Tu vas te tenir face à la grille avec ta lampe allumée entre deux barreaux. Quand tu verras les lumières de la police, tu te retourneras, tu éteindras ta lampe, puis tu te sauveras sur le trottoir, vers chez nous… compris ?

Sans un mot, Ré prend place. Moi, je m'installe un peu plus loin. Près de mon pied gauche, je dépose la lampe à effet discothèque. J'enfonce la hampe du parasol dans mon jeans, jusqu'à ce que l'extrémité touche le trottoir, près de mon pied droit. Je serre bien ma ceinture. Comme ça, je vais pouvoir tenir la caméra avec mes deux mains et allumer la lampe avec mon pied gauche.

Je vise la porte du cimetière. Sur l'écran, je vois la silhouette du zombi et sa lumière qui oscille sur les pierres tombales les plus proches.

– On tourne !

J'appuie sur le déclencheur et je laisse filer un moment. Du pied gauche, j'allume le bidule et le « gyrophare » illumine de toutes ses couleurs l'entrée du cimetière. Aussitôt, comme prévu, l'œil du zombi se retourne en aveuglant ma caméra, puis s'éteint. Enfin, sous le tourbillon multicolore, le monstre s'enfuit. Mon objectif le suit jusqu'à ce qu'il disparaisse dans le brouillard, puis je m'écrie :

– Parfait, Ré !

Et je m'élance vers lui pour le féliciter. Mais la hampe du parasol, raide comme une barre, bloque ma jambe droite. Je plonge et un craquement épouvantable se fait entendre. Péniblement, je me relève. Au-dessus de moi, le parasol est en lambeaux. La moitié des baleines ont volé en éclats.

– Ça va ? me demande le zombi à lampe, qui est revenu et qui s'est rallumé.

– Oui, ça va, je bougonne. Je pense que la caméra est pas brisée.

– Qu'est-ce qui est arrivé? T'as été frappé par la foudre?

Sans répondre, je me débats avec la hampe du parasol afin de l'extirper de mon pantalon. Finalement, je jette la dépouille fleurie sur le trottoir et je lance, pas content du tout:

– Tu te trouves brillant, peut-être?... Éteins, veux-tu.

Nous approchons de chez moi. Derrière nous, le parasol traîne sur le trottoir, tel un immense bouquet disloqué. Heureusement, il ne bruine presque plus. Mais le brouillard est à trancher au couteau. Mon humeur aussi.

Toutes fenêtres éteintes, ma maison nous apparaît maintenant à travers un rideau de brume, éclairée seulement par un lampadaire municipal.

– On dirait une maison hantée, je dis à Ré.

Du coup, je retrouve tout mon enthousiasme.

– On va faire la suite de la scène du cimetière où tu te sauves de la police.

– Mais c'est quoi, à la fin, l'histoire de ton film ?

– Pose pas de questions et écoute le réalisateur.

– Bon, d'accord, monsieur le réalisateur. Le zombi, qu'est-ce qu'il doit faire, maintenant ?

– Tu retournes sur le trottoir, jusqu'à ce que tu ne me voies plus. Quand je crie «Go!», tu cours vers moi, puis tu t'arrêtes juste devant ma caméra. Là, tu allumes ta lampe et, en levant la tête, tu diriges la lumière sur la maison. Oublie pas de râler.

Écrasé sous son casque, le zombi pompier fait demi-tour et disparaît dans le brouillard. De mon côté, je m'accroupis sous le lampadaire pour que le monstre ait l'air plus grand. Puis je dirige mon objectif vers le point où Ré a disparu. Enfin, j'appuie sur le déclencheur et je crie:

– Go!

La caméra aussi immobile que possible, je filme le brouillard…

Mais rien n'apparaît. Je continue à filmer. Je trouve ça long. Qu'est-ce qui se passe? À nouveau, je hurle:

– GO!

J'attends encore un long moment. Soudain, le zombi surgit et fonce sur moi. À la dernière seconde, il freine en grognant comme un forcené. Son œil, puissant, s'allume et la « créature » lève la tête, comme prévu, vers la maison.

Enfin, j'éteins la caméra.

– Parfait, Ré. Maintenant, bouge pas. Je vais me placer derrière toi.

Vivement, je contourne le zombi et je le filme de dos, en train de scruter ma maison...

Tout à coup, je frémis. Au rez-de-chaussée, une lumière s'est allumée! J'essaie de ne pas remuer et je continue à tourner, le cœur battant. Au bout de quelques secondes, j'arrête la caméra.

– Ré! Y a quelqu'un chez nous!

Devant moi, le zombi ne bronche pas. Il ne râle plus.

Soudain, j'entends un appel.

– Hé! Yo!

Ré! Il est sur la galerie!

– Pas mal, hein, Yo, le coup de la fenêtre illuminée? me lance-t-il. Moi aussi, je veux participer au scénario. Et j'pense que j'ai trouvé ce qui nous manquait pour faire un vrai bon film d'horreur.

Ahuri, je lève les yeux vers le zombi, toujours immobile et silencieux. Qui est-ce? Il se retourne lentement vers moi. Il m'aveugle avec sa lampe. Je ne me sens pas bien du tout. Peu à peu, mes yeux s'habituent à la violente lumière et j'aperçois de longs cheveux rouges qui dépassent. Le zombi soulève son casque.

M'apparaît alors un visage blanc avec deux yeux noirs et une bouche violette!

– Bouh!!!

Ma casquette tressaute sur ma tête.

– C'est Nancy! me lance Ré, triomphant.

Aussitôt, je recouvre mes esprits.

«Sa grande niaiseuse de cousine!»

– Mes parents lui ont demandé de venir voir si tout était correct parce qu'ils n'arrivaient pas à nous joindre. Quand je l'ai rencontrée, tantôt, je lui ai expliqué la scène et je lui ai passé mon costume. Je t'ai contourné dans le brouillard et je suis entré chez toi. Juste au bon moment, j'ai allumé dans le salon. T'as dû être surpris!

Nancy me tend le casque de pompier. Entre ses longues mèches rouges, son visage blême prend un air sévère. Ré s'approche, intrigué.

– Écoutez-moi bien, les p'tits gars. Il est minuit passé et je suis très fatiguée. J'ai eu une grosse journée au cégep. Vos parents sont inquiets. Je dois les rappeler immédiatement et vous garder pour le reste de la nuit. Alors, votre film d'horreur, oubliez ça. C'est l'heure du dodo pour tout le monde !

Du coup, Ré et moi, on a envie d'achever notre film d'horreur en lui tordant le cou. Heureusement, dans ma tête, une autre idée vient de surgir.

– D'accord, Nancy, on rentre se coucher. Et on va être sages, hein, Ré ?

– Euh… oui. On va être sages.

On est couchés dans ma chambre. Moi dans mon lit, et Ré par terre, sur un matelas de camping. Depuis que je lui ai expliqué mon plan, impossible de dormir.

– Allez, je chuchote enfin. On y va.

Sans bruit, on s'avance vers le haut de l'escalier. Je descends quelques marches et jette un coup d'œil au salon. La télé grésille. Les émissions sont terminées. Je descends et m'approche du divan. Ré me suit. Couchée sur le dos, la bouche entrouverte, Nancy ronfle bruyamment.

– Est knock-out, je chuchote. Et elle a pas fermé les lumières du salon ni la télévision. Parfait. Avec son ronflement et le grésillement de la télé, elle va rien entendre. Ça va nous couvrir. On fait ce qu'on a dit.

– Ben… j'me sens pas bien, Yo.

– Tu vas pas te dégonfler, là ?

Immobile dans le smog, le zombi attend. Son œil de lumière scrute une maison sombre. Soudain, au rez-de-chaussée, une fenêtre s'illumine. Aussitôt, l'œil s'éteint.

On distingue à peine la silhouette du monstre dans le brouillard de la nuit. On entend sa respiration lointaine.

Puis le zombi sort de son immobilité. Il avance en planant sur le trottoir. Il s'approche et sa respiration s'amplifie. Elle se fait rauque et obsédante au moment où il monte sur la galerie. Enfin, il s'immobilise devant la porte de cette maison qu'il va envahir.

Surpris par la police, le zombi n'a pas pu entrer au cimetière. Frustré, il lui faut une victime, morte ou vivante. Les pans de son manteau s'ouvrent comme des ailes. Peu à peu, il devient transparent... puis disparaît. En une seconde, il réapparaît de l'autre côté de la porte, à l'intérieur de la maison. Là, ses ailes s'abaissent et sa respiration terrifiante s'arrête...

Il se dirige vers la lumière du salon.

Par l'œil du zombi qui avance, on aperçoit une télé allumée et sans image. La tête du monstre se tourne alors vers une grande fille maigre au teint blanc, aux yeux cernés de noir et aux lèvres violettes. Elle ronfle sur le divan. Ses mèches rappellent la couleur du sang.

L'œil puissant du monstre assoiffé s'allume alors et éclabousse le visage de sa victime. Mais celle-ci ne bronche pas et continue de ronfler comme un bûcheron.

Pendant que je filme toujours, Ré, à côté de moi, agite sa lampe devant le visage de Nancy... sans résultat.

– Elle prend de la drogue ou quoi ? je chuchote. Recommence à respirer fort. Elle va bien finir par se réveiller, ta grande niaiseuse de cousine. Ensuite, tu ouvriras tes ailes et tu fonceras dessus.

Obéissant, Ré recommence à respirer comme Darth Vader. Moi, avec ma caméra, je vise la victime, qui ne réagit toujours pas. Ré a beau braire comme un âne, Nancy dort comme une bûche.

Soudain, elle a un mouvement. La figure éclaboussée par la lampe de pompier, elle ouvre les yeux. Pendant quelques secondes, elle ne comprend pas ce qui lui arrive. Devant elle, sous une lumière aveuglante, un zombi ouvre les bras et s'apprête à fondre sur elle. Affolée, elle bondit sur ses pieds. Debout sur le divan, les doigts plongés dans ses mèches rouges, elle lâche un cri terrible :

– Hiiiiiiiiiiiiiiiiiii ! ! !

Ré a cessé de respirer. Moi aussi. Mais je filme toujours. Sous mes yeux, la grande Nancy se ramollit. Les yeux révulsés, elle bascule vers l'arrière, s'écroule sur le divan, puis roule par terre, inerte. Je ne sais plus si je filme encore.

Soudain, j'entends Ré :

– Me sens pas bien…

– Moi non plus. Ta cousine a perdu connaissance, j'pense.

– Me sens pas bien ! répète Ré.

– Qu'est-ce que t'as ?

– Respiré trop fort… mal au cœur…

– Faut s'occuper de Nancy, là.

– Le *pop-corn*…

– Quoi, le *pop-corn* ?…

– Trop mang…

Il court vers la cuisine. Deux secondes plus tard, les yeux rivés sur la cousine évanouie, j'entends Ré vomir dans l'évier.

Bêtement, je regarde Nancy, allongée sur la carpette, entre le divan et la télé, la langue un peu sortie de côté, entre ses lèvres violettes. Avec ses yeux au beurre noir, elle a vraiment l'air knock-out, cette fois. Et ça sent le vomi partout… Ré !

Je cours à la cuisine. Debout devant le lavabo, Darth Vader oscille dans son imper. Sur sa tête, son casque dodeline comme une cloche. S'il tombe, il va être sonné ! Je m'approche pour le soutenir.

D'une main, je fais couler l'eau du robinet et remplis un verre.

– Bois ça.

Les mains tremblantes, Ré saisit le verre d'eau et se met à boire, puis à recracher dans l'évier. Enfin, son casque se stabilise sur sa tête.

– Va te laver aux toilettes et laisse ton costume dans la douche. On nettoiera ça plus tard. Notre film est terminé. Il faut téléphoner au 911. Ta cousine est encore dans les pommes.

Muet, Ré titube vers la salle de bains. Je retourne dans le salon. Je m'avance vers le divan. Je m'approche.

Soudain, devant la télé, surgit un cyclope aux longs cheveux rouges. Son œil de verre est fixé sur moi. Pétrifié sur place, je sens ma mâchoire qui se décroche. Ma cervelle ne fait qu'un tour.

Effaré, je regarde l'œil qui me regarde. Puis, d'un coup, je recouvre la raison...

Nancy est en train de me filmer !

– J'pense que ça va faire une scène terrible pour ton film, me lance-t-elle en baissant la caméra. Tu t'es pas vu la face !

Aussitôt, je sens la vapeur monter. Je vais éclater...

Mais je me retiens...

Pas question de m'énerver pour une niaiserie de fille !

C'est le dernier cours avant les vacances de Noël. Français, avec madame Esther Taillefer.

D'habitude, c'est ennuyeux à mourir. Mais aujourd'hui, c'est énervant, car

E.T. a accepté de montrer notre film d'horreur à la classe.

En passant, on l'appelle E.T. parce qu'avec sa coiffure plate et ses immenses lunettes, madame Taillefer ressemble à l'extraterrestre en plastique qu'on a vu en anglais dans un vieux film de science-fiction... Mais ça, c'est une autre histoire.

Ré et moi, on est énervés, oui, mais en même temps, on est fiers. Notre film, on l'a tourné en une seule nuit. Et c'est grâce à Nancy qu'on a pu le terminer. La « grande niaiseuse de cousine » a été super. On ne l'appellera plus jamais comme ça. Nancy nous a aidés jusqu'aux petites heures du matin. Peut-être même qu'on ne dira plus que les filles sont folles... peut-être.

Notre film dure 4 minutes 17 secondes. Le scénario est simple. Un monstre veut rentrer dans un cimetière mais, surpris par la police, il finit par pénétrer dans une maison où il y a un petit gars avec sa gardienne. La gardienne perd connaissance et le petit gars – c'est moi! – se fait dévorer. Finalement, surpris par le lever du soleil, le monstre rassasié s'en retourne au cimetière.

Le montage a demandé deux semaines de travail. C'est fou le plaisir qu'on a eu. Aujourd'hui, on ne sait plus si c'est un film d'horreur ou un film comique. Vous savez, à force de voir une gardienne perdre connaissance et la mâchoire d'un petit gars tomber devant un monstre habillé en pompier, on devient un peu mêlé.

En tout cas, on a ajouté des bruits bizarres et une musique de suspense.

77

Voilà. Les lumières de la classe se rallument. Notre film est terminé. Pendant 4 minutes 17 secondes, le silence a été total. Et il se poursuit.

Je me retourne vers Ré, au fond de la classe. Qu'est-ce qui se passe ? Personne ne réagit. Soudain, quelqu'un, sans enthousiasme, se met à applaudir.

C'est E.T., en avant, qui tape poliment dans ses mains.

Et toute la classe de l'imiter... de plus en plus fort... puis avec des cris et des sifflements. Finalement, c'est l'ovation. Tout le monde est debout. Ils ont trouvé ça bon. Il y en a même un qui crie :

– Moi aussi, j'veux faire un film !

– Moi aussi !

– Moi aussi !

Madame Taillefer n'applaudit plus.
De son long index, elle nous fait signe de
nous rasseoir. Finalement, les élèves se
calment. Dans un mouvement panora-
mique qui fait le tour de la classe, la tête
d'E.T. pivote comme un périscope de
sous-marin. Le prof s'apprête à lancer
sa torpille. Enfin, le regard vitré descend
et se pose sur moi.

En caméra subjective, je dois faire
une drôle de tête.

– Bravo, Yohann.

– Euh… merci.

– Tu es un bon comédien je trouve.
Surtout quand tu ouvres la bouche
devant le monstre. Très convaincant.

– Euh… merci.

– Qui jouait le monstre ?

– Ré.

Aussitôt, le périscope dirige son regard vers le fond de la classe.

– Rémi, bravo. Tu as de grands talents de mime. Tu faisais un monstre très impressionnant.

Visiblement, Ré est fier de lui. Sa carrière d'acteur commence bien.

– Les images de toi étaient saisissantes, ajoute madame Taillefer.

– C'est Yo qui m'a filmé.

Me revoici dans le collimateur d'E.T.

– Votre film, il n'a pas de titre ?

– Euh… non. On a oublié d'en mettre un.

Puis, interrompant la conversation, elle regarde l'horloge.

– Bon, le cours achève. C'est bientôt Noël et je vais vous offrir un cadeau.

Un cadeau que vous venez d'ailleurs justement de me demander.

Très attentive, la classe écoute et E.T. lance enfin sa torpille :

– C'est un devoir à faire d'ici votre retour en janvier. En équipe de deux ou trois élèves, vous m'écrivez un court scénario de film. Sujet libre. Le film devra être réalisé pour Pâques.

Du coup, la classe est dévastée et c'est dans un silence de mort que je demande :

– Et nous deux ?

– Vous deux, il ne vous reste plus qu'à trouver un titre.

– Euh... j'ai trouvé !

– Ah oui ?

– *Une nuit d'enfer.*

Au même moment, la fin du cours sonne et les vacances de Noël commencent. Dehors, il est tombé des tonnes de neige. Tout est blanc. Plus une ombre de gris. C'est la saison de la planche à neige !

En plus, Ré et moi, on a congé de devoir !

DAPHNÉ

« – Si je comprends bien, le vide
t'empêche de profiter du vide.
– Je n'aurais pas dit les choses
comme ça, mais... oui. »

Enfin seule! Depuis le temps que je rêvais de ce jour! Ce fameux jour où le silence règne en maître dans une maison désertée de ses propriétaires, c'est-à-dire des parents et d'une sœur qui, malgré des qualités indéniables, n'en reste pas moins un être bruyant, presque toujours accompagné d'êtres aussi bruyants qu'elle, qui multiplient les allées et venues, font claquer les portes, encombrent la salle de bains et le sous-sol.

Rien de tel aujourd'hui : la maison est à moi pendant vingt-quatre heures. Mes parents sont absents, Désirée dort chez Denis. Ou chez Claude. Ou chez René. Ou chez Irma. À moins que ce soit chez Pavel. En tout cas pas chez elle, c'est-à-dire pas chez moi.

Pendant une journée et une nuit, je pourrai faire ce que je veux, sans me soucier de personne. Quel beau jour que celui-là ! Tous ceux qui ont vécu l'expérience me comprendront.

Je suis donc assise au milieu du salon et je savoure le silence, je tends l'oreille vers la porte d'entrée qui ne s'ouvre ni ne se referme, qui ne s'ouvrira ni ne se refermera avant vingt-quatre heures. Et je trouve que c'est très bien. Il y a du temps à combler, des décisions à prendre qui n'appartiennent qu'à moi, des repas à préparer rien que pour moi, un téléviseur qui s'ouvrira et s'éteindra

88

quand je l'aurai décidé, moi et personne d'autre. Quel moment grandiose ! Quelle magnifique expérience !

Je dois toutefois me rendre à l'évidence : on n'est jamais seul dans une maison. Il y a une autre présence : celle du vide. Et je découvre cette chose étrange : le vide a une consistance. On a tort de prétendre que le vide, c'est de l'air. Ce n'est pas de l'air, c'est bel et bien une substance, une substance qui, comme toutes les substances, occupe un certain espace.

Cette évidence m'a frappée de plein fouet au moment où je préparais mon repas du soir, un sandwich à deux étages, avec du saucisson au rez-de-chaussée, du fromage suisse au premier et des cornichons au deuxième. Un vrai sandwich sans laitue, tomates et autres ingrédients mouillants qui, en moins de deux, vous transforment n'importe quel sandwich honnête en un amalgame immonde de pâte ramollie et de légumes qui fichent le camp par terre dès que vous mordez dedans.

J'étais donc en train de confectionner le dernier étage quand j'ai senti une présence. Le silence était total, j'étais complètement absorbée par les cornichons qu'il faut trancher en fines lamelles si on veut qu'ils adhèrent bien au pain. J'ai senti un souffle dans mon cou, un peu comme quand quelqu'un surgit derrière vous à votre insu. J'ai déposé mon couteau.

– Qui est là ?

Je me suis retournée. Rien. Personne. Nous étions à la fin de l'été, l'une des fenêtres de la cuisine était entrouverte. Le vent agitait mollement le rideau.

– Qui que vous soyez, vous n'êtes pas le bienvenu. Je vous prierais de déguerpir et de me laisser le champ libre. Pour une fois que je suis seule dans cette maison, j'entends bien le rester.

Ma voix résonnait bizarrement dans la maison silencieuse. J'ai repris mon travail là où je l'avais laissé : saucisson, fromage, cornichons... Je regardais le fromage avec ses trous de différents formats et les petits cornichons surs qui attendaient leur tour pour agrémenter mon chef-d'œuvre.

Derrière moi, le plancher a craqué. Le couteau m'est tombé des mains, la pointe est allée se ficher à mes pieds, dans le plancher. Mon cœur s'est mis à battre la chamade et je me suis retournée une seconde fois.

Toujours rien. L'air qui entrait par la fenêtre n'était pas responsable de ce qui arrivait. Que je sache, l'air ne fait pas craquer les planchers. Celui qui pénétrait dans la maison ne déplaçait rien du tout, pas même les fleurs disposées dans un vase sur le rebord de la fenêtre. C'était un air immobile de fin d'été, quand le temps s'arrête et que les gens, les objets se figent momentanément dans un engourdissement salutaire.

C'est là que j'ai compris : je n'étais pas seule dans la maison. Le vide y était, lui aussi. Il remplissait tout l'espace autour de moi, me cernait de partout. Deux heures, deux malheureuses petites heures avaient suffi pour que mon paradis se transforme en enfer. Entre le vide et moi, il y avait désormais une lutte à finir, l'un de nous était de trop et il n'était pas impossible que ce soit moi.

J'étouffais. Purement et simplement.

J'ai ramassé mon couteau et l'ai brandi devant moi. La peur du ridicule ne m'a pas arrêtée.

– Hé, le vide! J'y suis, j'y reste, t'entends? Pas question que tu usurpes mon territoire, compris? Pas un pas de plus, reste où tu es!

Sauf que le vide n'a pas d'oreilles. Il n'a pas non plus de territoire précis. C'est dans sa nature d'être partout et nulle part. Le vide, il est partout où vous n'êtes pas, il est plus grand que vous et prend votre place dès que vous la quittez. C'est tout simple.

J'ai donc laissé là mon repas, je me suis versé un plein verre d'orangeade et je suis allée au salon, avec la désagréable impression d'être suivie. J'ai fait comme si de rien n'était et je me suis installée dans le canapé le plus confortable, les pieds déposés sur le pouf que d'habitude toute la famille se dispute jusqu'à ce que mort s'ensuive.

Le malaise ne s'est pas dissipé pour autant. C'est à croire que tous les éléments se liguaient contre moi, ce jour-là. De voir le pouf si totalement disponible m'a complètement enlevé l'envie de m'en servir. Je l'ai repoussé et me suis levée une deuxième fois pour faire le tour de la maison, histoire de bien montrer que j'étais seul maître à bord et que ce domaine était mon domaine.

Les pièces se sont laissé visiter sans protester, je veux dire qu'il ne s'est rien passé d'anormal. Pas de portes qui se referment sans raison, pas de bruits insolites, pas de fantômes sous les lits. La chambre de mes parents était soigneusement rangée, comme d'habitude, celle de ma sœur, un indescriptible foutoir. Comme d'habitude. La maison était telle qu'elle était toujours, je n'avais pas peur, pas encore, je ne comprenais pas ce qui se passait, je savais seulement que l'air ne pénétrait pas normalement dans mes poumons, comme si une masse invisible les comprimait.

Il y avait bel et bien quelqu'un de trop dans la maison : moi.

Je me suis précipitée dehors et je me suis accroupie près d'une borne-fontaine, le temps que ma respiration se calme. Si je m'étais retournée, j'aurais aperçu la cuisine éclairée, un sandwich inentamé sur le comptoir et la grosse horloge qui indiquait 10 h 10. Mais je ne me suis pas retournée.

J'ai erré à l'aventure en songeant à l'absurdité de mon comportement. Moi qui n'aime pas particulièrement sortir, moi qui reste volontiers à la maison, enfermée dans ma chambre avec mes livres et assez de munitions pour tenir le siège des semaines entières, il avait suffi qu'on me cède toute la place pour que j'éprouve l'irrépressible envie d'en sortir.

Mes pas m'ont conduite au parc, désert à cette heure. Tous les bancs étaient vides à l'exception d'un. Je me suis approchée. Le banc était occupé par un monsieur assez vieux, avec des cheveux trop longs pour son âge et des vêtements trop étroits qui avaient dû appartenir à un autre. Il est toujours là, le monsieur. Chaque fois que je traverse le parc, je le vois mais je fais un petit détour pour ne pas le déranger.

J'ai contourné le banc et je me suis plantée tout bonnement devant l'homme. Il y avait un paquet entrouvert sur ses genoux, sa main allait du papier à sa bouche et y déposait chaque fois un morceau de quelque chose que je ne distinguais pas, à cause de l'obscurité. J'ai repensé à mon sandwich. Le monsieur mastiquait inlassablement en faisant de drôles de bruits.

– Bonsoir ! ai-je dit.

Les mandibules ont continué à s'activer comme si j'étais transparente. J'étais peut-être transparente.

– Je m'appelle Daphné. On ne se connaît pas mais il me semble urgent de faire connaissance parce qu'il faut absolument que vous m'aidiez à régler un problème insoluble. J'ai lu quelque part – je lis beaucoup, vous savez –, j'ai lu que la nature a horreur du vide et

qu'elle imagine toutes sortes de strata-
gèmes pour le remplir. Mais moi, c'est
la première fois que je vis l'expérience
du vide et je ne sais pas comment elle
s'y prend, la nature, parce que moi, je
n'y arrive pas, mais pas du tout. Je…

– Je n'ai pas entendu frapper, m'a
interrompue le monsieur.

– Frapper?

– Frapper, oui.

Frapper? Mais frapper quoi, sapristi?
Frapper où? Dans le vide?

Un vide bien plus grand à remplir
que ma maison. *Je n'ai pas entendu
frapper.* J'étais peut-être tombée sur
un fou ou sur un dangereux criminel.
J'ai repensé à la maison, au sandwich
à l'intérieur, à ma chambre, ce qu'on
appelle la sécurité, quoi. Mais rien ni
personne ne pouvait changer quoi que

ce soit à cette implacable certitude qui m'habitait : j'étais dans le parc pour y rester. Un parc aussi vide que la maison, à cette différence que, dans le parc, il y avait quelqu'un, c'est-à-dire qu'un autre corps que le mien occupait l'espace.

– C'est peut-être moi, a repris le monsieur en mâchouillant toujours. Je suis un peu dur d'oreille. Peut-être as-tu frappé avant d'entrer.

Entrer ? Mais entrer où ? J'ai fait un pas vers le banc, sans m'y asseoir. Le monsieur n'avait pas l'air de vouloir partager quoi que ce soit.

– Ça vous est déjà arrivé de vous sentir de trop dans une maison vide ?

Il m'a regardée sans rien dire, puis du fond de sa poche il a sorti un mouchoir, en tout cas une espèce de tissu rectangulaire d'une couleur indéfinissable. Il l'a passé sur sa bouche et s'est raclé la gorge.

– Oh! moi, tu sais, les maisons!

Il a eu un interminable haussement d'épaules, comme si ma question était déplacée.

– Comment ça, « Oh! moi, tu sais, les maisons »? Ce que je vous demande est pourtant simple: avez-vous déjà éprouvé une sensation de vide telle qu'elle vous chasse hors de votre maison?

Il a passé sa langue un peu partout dans sa bouche pour en déloger les aliments coincés. Il réfléchissait. Sous la peau, la langue pointait çà et là, comme si une souris minuscule était prise au piège et essayait de s'échapper.

– Je ne suis pas un spécialiste des maisons, comprends-tu?

– Pas besoin d'être spécialiste des maisons pour répondre à cette question.

100

– Regarde bien autour de toi. Qu'est-ce que tu vois ?

Question stupide, s'il en est. J'ai fait semblant de parcourir l'espace des yeux.

– Un parc, ai-je répondu. Je vois un parc.

– Eh bien, ce parc, c'est chez moi.

Oui et alors ? Où voulait-il en venir ? Il a fait un brusque mouvement vers moi. De surprise, j'ai reculé.

– Alors, dis-moi, d'où est-ce que tu veux qu'on me chasse ?

La question demandait réflexion.

– Êtes-vous en train d'insinuer que vous habitez le vide ?

– Si on veut.

– Et que quand on habite le vide, on ne peut pas aller ailleurs ?

– T'as tout compris.

– Et qu'on ne peut pas non plus se sentir de trop ?

Il a pris le temps de réfléchir.

– On peut se sentir de trop, mais pas de la façon dont tu parles.

J'étais toujours debout, devant lui. Ma respiration avait retrouvé son rythme normal.

– Je peux rester avec vous ?

Je n'ai pas attendu la réponse, je suis allée m'asseoir à côté du monsieur. Il s'est poussé pour me faire de la place. Et là j'ai vu ce qu'il y avait dans son paquet.

– J'ai faim, ai-je déclaré.

Il a baissé les yeux vers la nourriture et m'a tendu le papier.

– Il n'en reste pas beaucoup… mais prends.

C'était du jambon avec un bout de pain sec. J'ai tout engouffré d'un coup.

– J'étais en train de me préparer un sandwich quand le vide m'est tombé dessus, ai-je repris, la bouche pleine. C'était pas mal mieux que le vôtre, ai-je ajouté en montrant le papier brun. Mon sandwich à moi, il a trois niveaux, avec un rez-de-chaussée et deux étages par-dessus… Comme une maison, quoi !

– Mmm.

– Il y avait du saucisson, du fromage et pour finir…

– Qu'est-ce que tu fais dehors à une heure pareille ?

– Je fuis le vide, je vous l'ai dit. Mes parents ne rentrent que demain et je ne pense pas pouvoir affronter tout ça toute seule.

– Affronter quoi, exactement ?

– Le vide. Ou Daphné, si vous préférez.

– Mais Daphné, c'est toi, non ?

– Bien sûr que c'est moi. Mais on a tous deux personnes en soi, un double…

– Ah bon ?

– Franchement ! À votre âge, vous devriez savoir ça. Un double, c'est une sorte d'*alter ego* idéal, une personne qui est soi sans être soi, qui nous regarde, nous juge, nous évalue à longueur de journée parce qu'elle n'a rien d'autre à faire…

104

– Une emmer-
deuse, quoi!

– Une emmer-
deuse?

Daphné 2, une
emmerdeuse? J'ai
préféré ne pas ap-
profondir la ques-
tion.

– Moi, mon
double, je l'ai
découvert ce
soir. On s'est
retrouvés face
à face et je
n'ai aucune
envie de faire
connaissance
avec lui, c'est-
à-dire avec elle.

– Elle ?

Sapristi qu'il était lent !

– Elle, oui. L'autre Daphné.

– Je vois.

– Plus tard peut-être, mais pas ce soir.

– Je vois.

– Je pensais que je pouvais m'en sortir par mes propres moyens. J'ai des ressources, voyez-vous ? J'ai mes livres, je ne m'ennuie jamais. Je croyais que, pour une fois que j'avais la maison toute à moi, je me sentirais bien. Et libre de faire ce que je veux. Mais c'est tout le contraire qui s'est produit. J'étais comme paralysée. Je me suis même surprise à espérer que ma sœur rentre à la maison. Ma sœur, vous vous rendez compte ? Je suis vraiment malade.

– Si je comprends bien, le vide t'empêche de profiter du vide.

– Je n'aurais pas dit les choses comme ça, mais... oui.

Je mastiquais sans discontinuer. Le pain était compact et très dur.

– Le vide est un ennemi insidieux, monsieur. À nous deux, nous en viendrons peut-être à bout cette nuit, qui sait?

– Bon, écoute, c'est pas que je m'ennuie mais il se fait tard et j'ai besoin de dormir.

Sur ce, il me tourne le dos, saisit son sac, en extirpe une couverture et se pelotonne dessous.

– N'oublie pas d'éteindre en sortant, ajoute-t-il.

Je ne bouge pas d'un poil, évidemment. Dix minutes plus tard, le bonhomme se tourne vers moi.

– Tu ne vas pas passer la nuit ici? Qu'est-ce que tu attends pour rentrer chez toi?

– C'est tout à fait hors de question.

– Tu ne vas tout de même pas rester là?

L'angoisse perce clairement sous la surprise.

– Pourquoi pas?

– Mais parce que c'est chez moi, ici.

– Comment ça, chez vous? Ce parc est un parc public.

– Public! Public! C'est vite dit. Et mon intimité, qu'est-ce que tu en fais?

– Votre intimité?

– Parfaitement. Toi, tu as une maison, tu peux t'y réfugier quand bon te semble et tu peux te payer le luxe d'en sortir. Tandis que moi, je n'ai… que ce parc. Le jour il est public, la nuit il est privé.

– Bon, bon, d'accord, ne vous fâchez pas, j'ai compris. Invitez-moi à rester chez vous, alors.

Il ne répond pas. Je dis :

– J'ai l'air de mendier, c'est un comble. Et c'est très gênant.

Il approche son visage tout près du mien, un sourire étire ses vieilles lèvres. Dans la pénombre, je distingue ses traits bouffis, délabrés. La barbe est grise et dégage une drôle d'odeur, une odeur de poussière. À présent, ça y est, je supplie :

– Laissez-moi rester, d'accord ? Je ne vous dérangerai pas, je resterai à côté de vous sans rien dire.

Au-dessus du lampadaire, la lune brille, toute ronde et blanche. J'ai encore faim. Et soif. Et la frousse de me retrouver toute seule. Je secoue le monsieur sans ménagement.

– Vous n'avez pas le droit de me refuser l'hospitalité. Vous ne pouvez pas refuser de prêter assistance à personne en danger.

Un soupir fatigué s'élève de la forme ramassée à mes côtés.

– Qui est en danger ? ronchonne-t-il.

– Moi.

– Le vide n'a jamais tué personne.

– C'est à voir.

– Qu'est-ce qui se passe ici ?

Un agent de police surgit devant nous. Ni le monsieur ni moi ne l'avons entendu approcher. Plus loin, une voiture blanche surmontée d'un gyrophare est stationnée en bordure du parc.

– Bonsoir, dit le monsieur.

– Bonsoir, répond l'agent. Il y a un problème ? demande-t-il en me regardant.

C'est le monsieur qui répond :

– Elle est seule chez elle et elle a peur du vide, paraît-il.

– Ben oui. Avant ce soir, je ne m'étais jamais retrouvée face à face avec l'autre Daphné, comprenez-vous ?

– Pas complètement, répond l'agent. Qui est Daphné ?

– C'est moi,

– Et qui est l'autre ?

– Toujours moi.

L'agent et le monsieur échangent un regard lourd de sous-entendus.

– Je ne savais pas ce que c'était, d'habitude la maison est toujours remplie de monde. Ça distrait.

– Il faudrait rentrer chez toi, dit l'agent.

– C'est ce que je me tue à lui dire, renchérit le monsieur.

– Ça vous est déjà arrivé, à vous, de vous sentir de trop dans une maison vide ?

– Je vais te raccompagner, insiste l'agent.

– Je ne crois pas, non. Pas tant que ma sœur Désirée ne sera pas rentrée et je ne pense pas qu'elle rentre avant demain midi ou demain soir. Tout ça est de sa faute, d'ailleurs. Si vous la connaissiez,

112

vous comprendriez. Elle est tellement présente, ma sœur Désirée,
tellement bruyante, tellement encom-
brante que le jour où elle s'absente, le
vide en profite pour se jeter sur vous
comme la misère sur le pauvre monde.

Pause. Je secoue la tête.

– Si on m'avait dit qu'un jour j'aurais
besoin de ma sœur, je ne l'aurais pas
cru.

Ils me regardent, ils sont un peu
découragés. Je croise les bras d'un air
décidé.

– Je reste là. C'est un parc public, personne ne peut me forcer à m'en aller.

L'agent soupire, se gratte la tête, fait
signe à son collègue stationné plus
loin de s'en aller. La voiture blanche
s'éloigne, poursuit sa ronde.

– Tes parents rentrent quand ?

– Demain soir.

– Il y a bien des voisins qui pourraient t'accueillir pour la nuit ?

– Bien sûr qu'il y en a. À l'heure qu'il est, la moitié de la planète doit savoir que je suis seule à la maison. Mes parents sont tellement prudents, ils ont dû faire le nécessaire. Il y a aussi Hector, mon ami concierge.

– À la bonne heure, alors ! Allons voir Hector.

Je me lève d'un bond.

– Non, mais ça va pas, la tête ? Vous pensez tout de même pas que je vais m'abaisser à lui demander asile ! Des plans pour qu'il s'imagine que j'ai peur. On a sa dignité, vous savez !

– Mais… tu as peur, Daphné, risque le vieux monsieur.

– Bien sûr que j'ai peur, mais personne ne le saura jamais.

– Mais… nous, on le sait, rétorque le policier.

– Oui, mais vous deux, ça n'a pas la moindre importance, on se connaît pas.

Nouveau regard échangé entre les deux hommes. Je dis :

– J'ai une idée !

– Allons bon ! marmonne le monsieur.

– Dis toujours, fait l'agent.

– Je parie que vous mourez de faim, tous les deux !

L'agent secoue déjà la tête, conscient de la situation et du devoir à accomplir. Le vieux monsieur hésite. J'insiste :

– Une petite faim. Une toute petite faim.

Le monsieur baisse la tête sur ses mains vides, s'humecte les lèvres, l'agent ne sait plus quoi faire. Je désigne le monsieur.

– J'ai mangé la moitié de son repas, monsieur l'agent. Il a sûrement encore faim, lui, on ne peut pas le laisser comme ça. Ce serait comme ne pas prêter assistance à personne...

– Que proposes-tu ?

– Vous m'accompagnez tous les deux chez moi. On se partage le sandwich à trois niveaux. Un niveau pour chacun. Et tout ce temps-là, le temps passe, le vide fait de l'air et l'autre Daphné aussi, comprenez-vous ? Si le cœur vous en dit, vous pourriez même faire un petit somme. Jusqu'au matin, par exemple. Le salon est grand.

– Je préfère te raccompagner seul, Daphné. Monsieur n'a pas besoin de venir, il peut très bien rester ici.

Sauf qu'il est déjà presque debout, le monsieur, prêt à nous emboîter le pas, gagné d'avance par le fameux triplex comestible.

– Le laisser ici ? Seul comme un malheureux affamé ? Qu'est-ce que vous faites de l'entraide, monsieur l'agent ?

L'agent lève les yeux au ciel.

– Bon, d'accord, allons-y.

Nous sortons tous les trois du parc, l'agent à ma gauche, le vieux à ma droite, un peu courbé, un peu lent. Nous accordons notre pas au sien. Il respire fort, s'essouffle.

Et puis voici la maison, la cuisine éclairée, l'édifice à trois étages resté bien droit, bien sec.

Nous nous attablons en silence. Le monsieur choisit l'étage de jambon, le policier, le fromage suisse et je me retrouve avec les cornichons. Nous mangeons sans parler, sans rien faire d'autre que nous regarder manger, mastiquer, déglutir. Je pense à mes parents, à leur surprise s'ils entraient là, maintenant, et voyaient cet étrange trio en train de se sustenter en silence. J'offre de la bière au monsieur qui refuse et à l'agent qui refuse. J'insiste. Le monsieur finit par accepter, l'agent refuse une seconde fois. À cause du fameux devoir.

Il se lève.

– Bon, à présent nous partons, dit-il en insistant sur le nous.

Le vieux hoche la tête, se lève à moitié, n'a pas encore fini sa portion de sandwich. Il reste de la bière dans son verre. Il marche lentement, mange lentement, boit lentement, il est vieux. L'agent se tourne vers moi.

– Toi, tu restes ici et tu verrouilles soigneusement la porte, compris ?

Je fais oui, oui, et le gratifie d'un large sourire.

– Je te promets de faire la ronde cette nuit dans ton quartier et de passer souvent dans ta rue, d'accord ?

Je hoche encore la tête, souris de plus belle. Le vieux vide son verre d'un coup, s'essuie la bouche et enfouit la serviette dans l'une de ses poches.

Et ils s'en vont. Le policier est déjà dehors, pressé, le vieux s'attarde encore un peu, parcourt des yeux la maison. Au moment de sortir, il se tourne vers moi et me tend la main sans rien dire. Je la prends dans les miennes et la serre. Elle est large, calleuse, aussi sèche que son pain.

Je verrouille la porte derrière eux, j'éteins toutes les lumières de la maison et je m'assois pour faire le guet.

«Je te promets de faire la ronde cette nuit dans ton quartier.» Mais qu'est-ce qu'il s'imagine, l'agent? Qu'est-ce qu'il croit? Que ma peur est une peur banale, ordinaire? S'imagine-t-il que j'ai peur des voleurs? Ou des fantômes? Je n'ai pas peur des voleurs, je n'ai pas peur des fantômes, j'ai peur de ce que je ne connais pas encore, c'est tout. Les fantômes, c'est de la matière, de la vapeur, des gaz, les fantômes irradient, on les voit. Les voleurs aussi. Tandis que le grand vide... On ne peut pas se battre contre le vide absolu. Le seul moyen d'avoir le dessus sur lui est de le remplir en puisant à l'intérieur de soi. Mais je suis trop jeune, je n'ai pas eu le temps de faire connaissance avec moi, le vide m'a prise par surprise.

J'ai attendu une heure, peut-être deux. Et je suis ressortie. J'ai vérifié que la rue était déserte et je me suis élancée dans la nuit. Direction : le parc, le banc, le lampadaire avec la lune juste au-dessus.

Je me suis approchée sans bruit du vieux monsieur et me suis roulée en boule à ses côtés, mon dos contre son dos. Il n'a rien dit, ne s'est pas retourné, ne s'est peut-être pas réveillé. À un certain moment, j'ai senti passer sur moi une onde de chaleur, un bout de couverture déposé sur mon épaule gauche.

Je me suis rendormie en pensant à l'agent de police qui passait et repassait devant une maison vide, à la tiédeur du vieux monsieur dans mon dos et à la mer de la Tranquillité qui brillait quelque part au-dessus de nos têtes.

www.triorigolo.ca

Pour t'amuser à des jeux
originaux spécialement conçus
à partir du monde du Trio rigolo

Pour partager des idées et
des informations dans la section
Les graffitis

Pour lire des textes drôles
et inédits sur l'univers de chacun
des personnages

Pour connaître davantage
les créateurs

Et pour découvrir plein
d'activités rigolotes

Le Trio rigolo

AUTEURS ET PERSONNAGES :

JOHANNE MERCIER – LAURENCE

REYNALD CANTIN – YO

HÉLÈNE VACHON – DAPHNÉ

ILLUSTRATRICE : MAY ROUSSEAU

1. Mon premier baiser
2. Mon premier voyage
3. Ma première folie
4. Mon pire prof
5. Mon pire party
6. Ma pire gaffe
7. Mon plus grand exploit
8. Mon plus grand mensonge
9. Ma plus grande peur
10. Ma nuit d'enfer
11. Mon look d'enfer
12. Mon Noël d'enfer
13. Le rêve de ma vie (printemps 2009)
14. La honte de ma vie (printemps 2009)
15. La fin de ma vie (printemps 2009)

www.triorigolo.ca

Série Brad

Auteure : Johanne Mercier
Illustrateur : Christian Daigle

1. Le génie de la potiche
2. Le génie fait des vagues
3. Le génie perd la boule

www.legeniebrad.ca